中国工程建设协会标准

水泥基再生材料的环境
安全性检测标准

Standard for environmental safety testing of
cement-based recycled materials

CECS 397：2015

主编单位：中 国 建 筑 科 学 研 究 院
中国路桥工程有限责任公司
批准单位：中国工程建设标准化协会
施行日期：２ ０ １ ５ 年 ７ 月 １ 日

1580242691

中国计划出版社

2015 北　　京

中国工程建设协会标准

水泥基再生材料的环境
安全性检测标准

CECS 397：2015

☆

中国计划出版社出版

网址：www.jhpress.com

地址：北京市西城区木樨地北里甲 11 号国宏大厦 C 座 3 层

邮政编码：100038　电话：(010)63906433(发行部)

新华书店北京发行所发行

廊坊市海涛印刷有限公司印刷

850mm×1168mm　1/32　1.25 印张　30 千字

2015 年 6 月第 1 版　2015 年 6 月第 1 次印刷

印数 1—3080 册

☆

统一书号：1580242·691

定价：15.00 元

CECS 397：2015

中国工程建设协会标准

水泥基再生材料的环境
安全性检测标准

Standard for environmental safety testing of
cement-based recycled materials

中国计划出版社

中国工程建设标准化协会公告

第 195 号

关于发布《水泥基再生材料的环境
安全性检测标准》的公告

　　根据中国工程建设标准化协会《关于印发〈2013 年第一批工程建设协会标准制订、修订计划〉的通知》(建标协字〔2013〕057号)的要求,由中国建筑科学研究院、中国路桥工程有限责任公司等单位编制的《水泥基再生材料的环境安全性检测标准》,经本协会建筑防水专业委员会组织审查,现批准发布,编号为 CECS 397:2015,自 2015 年 7 月 1 日起施行。

中国工程建设标准化协会

二〇一五年三月二十六日

前　　言

根据中国工程建设标准化协会《关于印发〈2013年第一批工程建设协会标准制订、修订计划〉的通知》（建标协字〔2013〕057号）的要求，标准编制组经广泛调查研究，认真总结各地实践经验，参考有关国内外标准，并在广泛征求意见的基础上，制定本标准。

本标准共分6章和1个附录，主要技术内容包括：总则、术语和符号、基本规定、水泥基再生材料及其制品的环境安全性检测、建筑工程的环境安全性检测和结果评定等。

本标准由中国工程建设标准化协会建筑防水专业委员会归口管理，由中国建筑科学研究院负责具体技术内容的解释。在执行过程中如有意见或建议，请将意见和资料寄送解释单位（地址：北京市北三环东路30号，邮政编码：100013）。

主 编 单 位：中国建筑科学研究院
　　　　　　　中国路桥工程有限责任公司
参 编 单 位：上海市建筑科学研究院（集团）有限公司
　　　　　　　武汉理工大学
　　　　　　　葛洲坝新疆工程局（有限公司）
　　　　　　　中国建筑股份有限公司
　　　　　　　清华大学
　　　　　　　宁波市景廷建材科技有限公司
　　　　　　　深圳市华全混凝土有限公司
　　　　　　　国家建筑工程质量监督检验中心
　　　　　　　中国混凝土与水泥制品协会
主要起草人：周永祥　王　晶　李连友　杨小刚　黄　莹
　　　　　　　蒋建国　丁庆军　何更新　丁立金　薛新利

目　　次

Contents

1 总　　则

1.0.1　为促进和规范固体废物在建筑材料领域的资源化利用，保证水泥基再生材料的环境安全性，制定本标准。

1.0.2　本标准适用于采用建筑垃圾、污泥和工业固体废物生产的水泥基再生材料及其工程应用时的环境安全性检测。

1.0.3　水泥基再生材料的环境安全性检测除应符合本标准的规定外，尚应符合国家现行有关标准的规定。

2 术语和符号

2.1 术　　语

2.1.1 水泥基再生材料 cement-based recycled materials
采用固体废物作为主要原材料的水泥基材料。

2.1.2 环境安全性 environmental safety
对人类健康以及人类的生活、生产、学习等所处的环境或场所造成污染、危害和威胁的程度。

2.1.3 人居环境 human settlements
人类工作劳动、生活居住、休息游乐和社会交往的环境或场所。

2.1.4 污泥 sludge
在污水处理过程中产生的半固态或固态物质,不包括栅渣、浮渣和沉砂。

2.1.5 脱硫产物 desulfurization products
在工业生产脱硫工艺中,脱硫剂与烟气中 SO_2 等硫化物反应后生成的物质。

2.1.6 建筑垃圾 construction and demolition waste
在建设、拆迁、装修、修缮等建筑业的生产活动中产生的渣土、废旧混凝土、废旧砖石及其他废物的统称。

2.1.7 工业固体废物 industrial solid waste
在工业生产中产生的副产品或固体废物。

2.2 符　　号

I_{Ra}——内照射指数;

I_γ——外照射指数。

3 基 本 规 定

3.0.1 水泥基再生材料环境安全性检测对象可包括水泥基再生材料及其制品和使用水泥基再生材料及其制品的建筑工程。

3.0.2 环境安全性检测项目可包括重金属浸出毒性、放射性、有毒有机物和无机元素及其化合物。水泥基再生材料及其制品的检测项目应根据固体废物种类进行确定,建筑工程的检测项目应根据固体废物种类以及工程应用环境进行确定。

3.0.3 水泥基再生材料的其他与环境安全性相关的技术要求应符合国家现行有关标准的规定。当用于民用建筑时,尚应符合现行国家标准《民用建筑工程室内环境污染控制规范》GB 50325 的有关规定。

4 水泥基再生材料及其制品的环境安全性检测

4.1 一般规定

4.1.1 水泥基再生材料及其制品应以同一品种、同一批次固体废物和水泥、按同一生产工艺制成的相同产品种类和等级为一批。每一批次的环境安全性检测不应少于1次;连续生产时,同一批次水泥基再生材料及其制品的环境安全性检测每六个月不应少于1次。

4.1.2 当检测水泥基再生材料的环境安全性时,应采用硬化的水泥基再生材料试件,标准养护试件龄期不宜少于28d,同条件养护试件的等效养护龄期不宜少于600℃·d。

4.2 取 样

4.2.1 水泥基再生材料及其制品的环境安全性检测应在交货时取样,并应从同一批产品中随机抽取。交货时为半成品时,应从卸料口取样制作试件,并进行标准养护或同条件养护,满足龄期要求后进行检测。

4.2.2 对水泥基再生材料取样时,应抽取不少于3个试件作为一组;对水泥基再生材料制品取样时,应从不少于3个制品中分别抽取,并作为一组;总取样量不应少于检测用量的2倍。

4.2.3 进行环境安全性检测的样品应从同一组的每个试件或制品中获取,并应根据检测项目规定的方法进行处理。

4.2.4 取得的样品应密封保存和运输,不得被其他物质污染。

4.2.5 当检测数据数量不足或存在争议时,应补充检测。

4.2.6 取样时应进行编号,检测报告尚应包括下列内容:

    1 取样时间、取样地点和取样人;

    2 生产厂家及出厂批次;

    3 要求检测的项目内容;

    4 固体废物种类;

    5 试样龄期;

    6 抽样方案及样品数量;

    7 其他内容说明。

4.3 检 测

4.3.1 水泥基再生材料及其制品的检测项目应根据固体废物种类确定,并应符合表 4.3.1 的规定。

表 4.3.1 水泥基再生材料及其制品的检测项目

固体废物种类		检 测 项 目			
		有毒有机物	放射性	无机元素及其化合物	重金属浸出毒性
建筑垃圾		√	√	—	√
污泥	市政污泥、管网污泥	√	—	√	—
	工业污泥	√	√	√	√
工业固体废物		√	√	√	√

注:对于工业固体废物中的脱硫产物可仅进行有毒有机物和放射性项目检测。

4.3.2 有毒有机物应按本标准附录 A 的方法进行检测。

4.3.3 放射性应按现行国家标准《建筑材料放射性核素限量》GB 6566 的有关规定进行检测。

4.3.4 无机元素及其化合物和重金属浸出毒性应按现行国家标准《危险废物鉴别标准 浸出毒性鉴别》GB 5085.3 的有关规定进行检测。

5 建筑工程的环境安全性检测

5.1 一般规定

5.1.1 对在建工程进行检测时,应在工程现场抽样;对既有建筑进行检测时,应从结构实体中取样。

5.1.2 建筑工程的环境安全性检测宜选择与人类活动较为密切的结构部位作为代表性位置取样,并可利用测试抗压强度后的破损试件制作试样。

5.1.3 对于同一工程、同一配合比的水泥基再生材料及其制品的环境安全性检测不应少于1次。

5.1.4 取样应避免对建筑结构造成损伤。

5.2 取 样

5.2.1 取样时,同一结构部位、使用相同水泥基再生材料或其制品的试样应为一组,每组试样的取样数量不应少于3个。

5.2.2 样品应从同一组的每个试样中获取,并应根据检测项目规定的方法进行处理。

5.2.3 当取得的样品附着其他污染物时,应清理干净或重新取样。

5.2.4 取得的样品应密封保存和运输,不得被其他物质污染。

5.2.5 对于建筑工程结构实体,取样结束后,应及时修补建筑结构的损伤,修补后的工程结构应能满足承载力和耐久性的要求。

5.2.6 取样时应进行编号,检测报告应包括下列内容:

    1 取样时间、取样地点和取样人;

    2 工程名称及其使用部位;

    3 检测项目内容;

4 固体废物种类；

5 结构类型、建筑用途和环境类别；

6 水泥基再生材料或其制品的供货商名称；

7 取样方案简图和样品数量；

8 其他内容说明。

5.3 检 测

5.3.1 建筑工程的环境安全性检测项目应根据固体废物种类确定，并应符合表 5.3.1 的规定。

表 5.3.1 使用水泥基再生材料及其制品的建筑工程检测项目

固体废物种类		检测项目			
		有毒有机物	放射性	无机元素及其化合物	重金属浸出毒性
建筑垃圾		√	√	—	√
污泥	市政污泥和管网污泥	√	—	√	—
	工业污泥	√	√	√	√
工业固体废物		√	√	√	√

注:1 对于使用水泥基再生材料及其制品用作非人居环境且与食品、饮水等无直接关系的建筑工程,可不进行有毒有机物项目检测;当建筑用途发生变更,可能与人居环境,以及食品、饮水等有直接关系时,应进行有毒有机物的检测;

    2 对于使用水泥基再生材料及其制品用作非人居环境的建筑工程,且有充分证据证明无放射性危害时,亦可不进行放射性的检测;当建筑用途发生变更,可能用作人居环境时,应进行放射性的检测;

    3 对于工业固体废物中的脱硫产物可仅进行有毒有机物和放射性项目检测。

5.3.2 有毒有机物应按本标准附录 A 的方法进行检测。

5.3.3 放射性应按现行国家标准《建筑材料放射性核素限量》GB

6566 的有关规定进行检测。

5.3.4 无机元素及其化合物和重金属浸出毒性应按现行国家标准《危险废物鉴别标准 浸出毒性鉴别》GB 5085.3 的有关规定进行检测。

6 结 果 评 定

6.0.1 对于同一检验批只进行了一组的检验项目,应以检测结果作为最终结果进行评定;对于同一检验批进行了一组以上的检验时,应取所有组对应检验项目的试验结果的算术平均值作为最终结果进行评定。

6.0.2 水泥基再生材料环境安全性指标及限量值应符合表6.0.2的规定。

表6.0.2 水泥基再生材料环境安全性能指标及限量值

检 测 项 目		环境安全性能指标及限量值
有毒有机物	游离甲醛	$\leqslant 0.08\text{mg/m}^3$
	苯	$\leqslant 0.03\text{mg/m}^3$
	氨	$\leqslant 0.2\text{mg/m}^3$
	总挥发性有机化合物(TVOC)	$\leqslant 0.4\text{mg/m}^3$
放射性	内照射指数 外照射指数	$I_{Ra} \leqslant 1.0$; $I_{\gamma} \leqslant 1.0$
无机元素 及其化合物	氰化物(以 CN$^-$ 计)	$\leqslant 1.0\text{mg/L}$
	氟化物(不含氟化钙)	$\leqslant 100\text{mg/L}$
	硒(总硒)	$\leqslant 1.0\text{mg/L}$
重金属浸出毒性	汞(总汞)	$\leqslant 0.02\text{mg/L}$
	铅(总铅)	$\leqslant 2.0\text{mg/L}$
	砷(总砷)	$\leqslant 0.6\text{mg/L}$
	镉(总镉)	$\leqslant 0.1\text{mg/L}$
	铬(总铬)	$\leqslant 1.5\text{mg/L}$

附录 A 有毒有机物的测试方法

A.0.1 本方法按现行国家标准《民用建筑工程室内环境污染控制规范》GB 50325 中释放空气中污染物的测定方法，根据框架结构暴露在房屋空间单位体积释放污染物的量与试块暴露在密闭容器中单位体积释放污染物的量相等的原理，进行检测。

A.0.2 应将总体积不小于 3L 的一组水泥基再生材料置于体积为 $1m^3$ 的密闭容器中静置 9h，测其容器中有毒有机物的浓度。

A.0.3 有毒有机物的检测应按现行国家标准《民用建筑工程室内环境污染控制规范》GB 50325 的有关规定执行。

本标准用词说明

1 为便于在执行本标准条文时区别对待，对要求严格程度不同的用词说明如下：

    1）表示很严格，非这样做不可的：

        正面词采用"必须"，反面词采用"严禁"；

    2）表示严格，在正常情况下均应这样做的：

        正面词采用"应"，反面词采用"不应"或"不得"；

    3）表示允许稍有选择，在条件许可时首先应这样做的：

        正面词采用"宜"，反面词采用"不宜"；

    4）表示有选择，在一定条件下可以这样做的，采用"可"。

2 条文中指明应按其他有关标准执行的写法为："应符合……的规定"或"应按……执行"。

引用标准名录

《民用建筑工程室内环境污染控制规范》GB 50325
《危险废物鉴别标准　浸出毒性鉴别》GB 5085.3
《建筑材料放射性核素限量》GB 6566

中国工程建设协会标准

水泥基再生材料的环境
安全性检测标准

CECS 397：2015

条 文 说 明

目　　次

1 总　　则

1.0.1　本条主要明确了制定本标准的指导思想和目的。固体废物在建筑材料领域的资源化利用已经推行多年，以往更多的是注重材料本身的技术性能和固体废物资源化利用所带来的经济价值，对环境安全性方面重视不够。本标准的提出，旨在落实环境保护和资源再利用的有关政策，重视和解决好水泥基再生材料的环境安全性这个底线问题，在此基础上，进一步促进固体废物在水泥基材料领域的再生利用，促进实现可持续发展。

1.0.2　水泥基再生材料主要来自建筑垃圾、污泥和工业固体废物等。其中建筑垃圾包括废混凝土、废砖石和杂物，主要用于生产环保型砖块、混凝土及砂浆、道路基层材料等；污泥可用于烧制陶粒；工业固体废物主要包括粉煤灰、钢渣、尾矿、镍铁渣、赤泥、电石渣等，工业固体废物还包括脱硫石膏、石油焦脱硫灰渣、循环流化床锅炉产生的固硫灰渣等脱硫产物。

　　此外，本标准中所提及的用于水泥基再生材料的建筑垃圾实际上不是原生态的建筑垃圾，而是已经过前期简单处理（即所谓的建筑垃圾"预处理"）的建筑垃圾。预处理的主要目的在于初步分离原始建筑垃圾中不可用于建筑垃圾再生利用的其他成分。之后进入再生利用技术处理的"建筑垃圾"一般为最大尺寸有所限制（需满足破碎设备进口尺寸要求）的以（钢筋）混凝土、砖瓦、砂浆为主要成分的块体与其他杂物。

1.0.3　涉及水泥基再生材料的有关技术规定，还应执行现行国家相应的有关标准。

2 术语和符号

2.1 术　　语

2.1.1　水泥基再生材料包括利用固体废物作为主要原材料生产的水泥基材料及其制品。其中固体废物是指在生产、生活和其他活动中产生的丧失原有利用价值或者虽未丧失利用价值但被抛弃或者放弃的固态、半固态的物品、物质以及法律、行政法规规定纳入固体废物管理的物品、物质。

2.1.2　本条对环境安全性进行了定义，重点考虑有害因素对人类健康和环境场所的影响。

2.1.4　根据污泥的来源又分为市政污泥、管网污泥和工业污泥。其中市政污泥也叫排水污泥，主要来自污水厂的污泥，这是数量最大的一类污泥。此外，自来水厂的污泥也属于市政污泥；管网污泥是指来自排水收集系统的污泥；工业污泥是指来自各种工业生产所产生的固体与水、油、化学污染、有机质的混合物。

2.1.7　本条规定了工业固体废物的定义，是指在工业生产活动中产生的固体废物。是工业生产过程中排入环境的各种废渣、粉尘及其他废物。可分为一般工业废物，如高炉渣、钢渣、尾矿、镍铁渣、赤泥、有色金属渣、粉煤灰、煤渣、硫酸渣、废石膏、脱硫灰、电石渣、盐泥等，以及工业有害固体废物。

3 基 本 规 定

3.0.1 根据水泥基再生材料存在和使用的主要方式,环境安全性检测既包括水泥基再生材料及其制品,也包括使用水泥基再生材料及其制品的建筑工程。简而言之,既包括材料,又包括工程实体。

3.0.2 本条规定了环境安全性的检测项目及其依据,检测项目包括重金属浸出毒性、放射性、有毒有机物和无机元素及其化合物共四项;而检测项目对材料及其制品和建筑工程要求有所不同:水泥基再生材料及其制品的检测项目应根据固体废物种类进行确定,而建筑工程的检测项目应根据固体废物种类以及工程应用环境进行确定。这里考虑到材料难以确定其应用环境,而对于既有建筑工程,其应用环境是确定的。

3.0.3 本条规定本标准没有涉及的其他环境安全性相关的技术指标也应符合国家现行有关标准的规定,如可能存在的二恶英的水泥基再生材料,应符合现行行业标准《固体废物 二恶英类的测定 同位素稀释高分辨气相色谱-高分辨质谱法》HJ 77.3 的规定;本条同时规定了用于民用建筑的水泥基再生材料还应符合现行国家标准《民用建筑工程室内环境污染控制规范》GB 50325 的规定。

4 水泥基再生材料及其制品的
环境安全性检测

4.1 一 般 规 定

4.1.1 本条规定了对于水泥基再生材料及制品的检验批的划分要求,规定以同一品种、同一批次固体废物和水泥、按同一生产工艺制成的相同产品种类和等级的水泥基再生材料及其制品为一批。同时规定了每一批次检测频次不应少于1次;当原材料和生产工艺发生变化时,应重新对水泥基再生材料及制品的环境安全性进行检测;对于连续生产的情况,同一批次水泥基再生材料及其制品的环境安全性检测频次为每六个月不应少于1次。

4.1.2 考虑到胶凝材料在化学反应过程中对有害物质的固化作用,因此,环境安全性检测要考虑龄期问题。本条规定标准养护试样龄期不宜少于28d,同条件养护试样的等效养护龄期不宜少于600℃·d。龄期的规定一方面要考虑到尽可能缩短试验周期,也要考虑到在实际生产中,水泥基再生材料及其制品中一般都需要掺入一定量的矿物掺合料,部分掺合料往往需要在28d以后甚至更长龄期后才能表现出显著的作用。

4.2 取 样

4.2.1 本条规定了取样须在交货时进行,而且取样应从同一批产品中随机抽取,这样更有利于工程质量控制。对于交货时为预拌混凝土、预拌砂浆、干混砂浆等半成品的情况时,应从卸料口取样,并在见证下制作试件,根据检测龄期的要求,标准养护或同条件养护至相应的龄期后进行检测。

4.2.2 本条对每组试样的具体取样要求和取样量进行了规定。应当注意,根据本标准第 4.2.1 条的要求,交货时为半成品的,取样制作的试件每组不少于 3 个。

4.2.3 为了保证检测结果的代表性,规定每个项目检测试样应从同一组的每个试件或制品中获取,并尽可能使从每个试件或制品中获取等量试样混合均匀后待检。由于环境安全性检测项目的制样要求不同,本条还规定应根据特定的检测项目规定的方法进行处理。

4.2.4 取得的待测水泥基再生材料及其制品的样品,应在保存和运输过程中进行密封,一方面防止试样中挥发性有毒物质的逸出,另一方面保证其他物质不会污染待检试样,以保证试验的客观、准确。

4.2.5 本条规定了出现检测数据不足或存在争议时的处理办法。

4.2.6 本条规定了对水泥基再生材料环境安全性进行检测时,需要记录并写入检测报告的取样信息。

4.3 检 测

4.3.1 本条规定了对于水泥基再生材料及其制品检测时,应根据所用固体废物种类对检测项目进行划分,具体检测项目应符合表 4.3.1 的规定。由于脱硫产物自身的无机元素及其化合物和重金属浸出毒性较低,而且在水泥基再生材料及其制品的加工和生产过程中,其他材料的物理稀释和化学固化作用会使无机元素及其化合物和重金属浸出毒性降低,一般不会对人类健康和环境安全产生危害,因此,对于工业固体废物中的脱硫产物规定可仅进行有毒有机物和放射性项目检测。

5 建筑工程的环境安全性检测

5.1 一 般 规 定

5.1.1 对建筑工程进行环境安全性检测时在建工程和既有建筑有所区别：对于在建工程，可选择现场应用的水泥基再生材料或其制品进行抽样，也可对已建成的实体部分进行取样；对于既有的建筑进行环境安全性检测时，应从结构实体取样。

5.1.2 建筑工程安全性检验的取样应具有代表性，规定还可利用测试抗压强度后的破损试件制作试样，主要是考虑尽可能减少对建筑工程结构实体的破坏性取样。

5.1.3 本条规定了对建筑工程的环境安全性的检验一般要求，规定对于同一工程、同一配合比的水泥基再生材料及其制品的环境安全性检测不应少于 1 次。

5.1.4 从建筑工程结构实体进行取样容易对结构实体造成损伤，本条规定取样应尽量避免对建筑结构造成损伤。

5.2 取　　　样

5.2.1 本条规定了建筑工程环境安全性检测的取样要求。

5.2.2 为了保证检测结果的代表性，每个项目检测试样应从同一组的每个样品中获取，并应尽可能从每个样品中获取等量试样混合均匀后待检。

5.2.3 本条规定了当取得的样品附着其他污染物时的处理方法。

5.2.5 当从建筑实体取样时，容易对建筑结构造成损伤，取样工作结束后，应及时修补建筑结构的损伤，修补后的建筑结构应能满足承载力和耐久性的要求。

5.3 检　　测

5.3.1 对于使用水泥基再生材料及其制品的建筑工程检测时,应根据所用固体废物种类和工程应用环境对检测项目进行确定:根据固体废物种类划分的具体检测项目应符合表5.3.1的规定。关于工业废物中的脱硫产物可仅进行有毒有机物和放射性项目检测的说明可参见本标准第4.3.1的条文说明。此外,对于使用水泥基再生材料及其制品的非人居环境且与食品、饮水等无直接关系的建筑工程来说,由于在非人居环境条件下,有毒有机物具有足够的挥发逸出空间和时间,有毒有机物浓度一般不会对人体健康和环境安全造成危害。同时对于应用于非人居环境的建筑工程,当有充分证据证明无放射性危害时,也可不进行放射性的检测。但应当注意,当建筑工程的用途发生变更,可能涉及人居环境或人类食品、饮水等安全性时,应重新对有毒有机物或放射性进行检测。

6 结果评定

6.0.1 本条分别针对只进行一组和进行多组试样进行检测的情况,规定了最终结果的确定方法;对于一组以上的检测情况,规定取所有组对应检验项目的检测结果的算术平均值作为最终结果进行评定,这样可以提高试验精度,降低系统误差,而且也鼓励了实际检测中进行多组检测,使结果更具代表性,同时也考虑了多组检验的成本问题。

6.0.2 本条规定了水泥基再生材料环境安全性能指标及限量值应符合表6.0.2的规定。根据检验项目及其对应项目的限量值的制定依据说明如下:

(1) 有毒有机物检测方法和限值均参照现行行业标准《环境标志产品技术要求 预拌混凝土》HJ/T 412的相应要求进行规定,其中苯和总挥发性有机化合物 TVOC 的浓度指标要求均略高于现行国家标准《民用建筑工程室内环境污染控制规范》GB 50325—2010 室内环境(Ⅰ类更为严格)要求,偏于安全。

(2) 放射性限值参照现行国家标准《建筑材料放射性核素限量》GB 6566 相应要求进行规定。

(3) 无机元素及其化合物的限值在参照我国现行国家标准《危险废物鉴别标准 浸出毒性鉴别》GB 5085.3 和德国标准《水、废水和淤泥的标准检验法 沉积法(S 类)和水洗浸出法(S4)》DIN 38414—4—1984 的相应要求进行规定。我国现行国家标准《危险废物鉴别标准 浸出毒性鉴别》GB 5085.3 对无机元素及其化合物的规定见表1。

表 1 我国 GB 5085.3 中浸出毒性鉴别标准值

（无机非金属元素及其化合物）

危 害 成 分	浸出液中危害成分 浓度限值（mg/L）	试样处理方法
硒（以总硒计）	1	液固比 10：1，
无机氟化物（不包含氟化钙）	100	溶解液为 pH3.2 左右
氰化物（以 CN^- 计）	5	的酸性溶液

目前还没有相关标准对以固体废物为主要原料生产的再生建材的无机元素及其化合物限值进行规定,已有的标准主要是关于用作再生建材利用的固体废物的限值规定,国外相关标准主要根据再生建材所应用的环境和是否采取一定的措施对建筑材料进行不同的分类,对不同类别建筑材料的浸出毒性限值进行不同的要求,其中以德国标准《水、废水和淤泥的标准检验法 沉积法（S类）和水洗浸出法（S4）》DIN 38414—4—1984 规定的限值最为严格,标准中 S4 方法将废物分为 7 类:Z0、Z1.1、Z1.2、Z2、Z3、Z4 和 Z5。Z0 指无需任何限制可直接被用作建筑材料再利用,Z1.1 可在水文条件不利的情况下使用,Z1.2 可在水文条件较好时使用,Z2 指采取一些技术防护措施后,可被利用的建筑材料。不同类别废物对应的限值如表 2 所示。

表 2 德国标准关于用于制备建筑材料循环利用的固体

废物的浸出液限值表（mg/L）

测试	Z0	Z1.1	Z1.2	Z2
	DIN 38414—4			
Se	—	—	—	—
Br^-	—	—	—	—
Cl^-	100	100	200	300
F^-	—	—	—	—
SO_4^{2-}	500	500	1000	1500
总 CN^-	<0.1	0.1	0.5	1

注:表中"—"表示不作要求。

参照德国标准 DIN 38414—4 中 Z2 类别的要求,对氰化物进行限量值规定,而德国标准未规定的硒和氟化物,则参照我国现行国家标准 GB 5085.3 进行了限量值规定。由于德国采用的液固比也为 10:1,但溶媒为去离子水,我国的限量值规定严于德国标准,偏于安全。

(4)目前关于以固体废物为主要原料生产的再生建材的环境安全性标准还不完善,目前标准主要是对用作再生建材利用的固体废物的浸出浓度和含量值进行规定,欧洲发达国家关于制备建筑材料循环利用的固体废物的重金属浸出毒性的规定见表 3。本标准关于重金属浸出毒性的限量值规定则主要借鉴了德国标准 DIN 38414—4—1984 的相应要求进行规定,具体指标见表 4。

表 3 德国关于制备建筑材料循环利用的固体

废物的浸出渗滤液限值表 (mg/L)

测试	Z0	Z1.1	Z1.2	Z2
	DIN 38414—4			
液固比	10	10	10	10
Al	—	—	—	—
As	0.1	0.1	0.4	0.6
Ba	—			
Cd	0.02	0.02	0.05	0.1
Co	—	—	—	—
Cr	0.15	0.3	0.75	1.5
Cr^{VI}	—	—	—	—
Cu	0.5	0.5	1.5	3
Hg	0.002	0.002	0.01	0.02
Mo	—	—	—	—
Ni	0.4	0.5	1.5	2

测试	Z0	Z1.1	Z1.2	Z2
	DIN 38414—4			
Pb	0.2	0.4	1	2
Sb	—	—	—	—
Th	<0.01	0.01	0.03	0.05
Ti	—	—	—	—
Zn	1	1	3	6

表 4 我国 GB 5085.3 中浸出毒性鉴别标准值

(固体废物的重金属浸出毒性)

危害成分项目	浸出液中危害成分浓度限值(mg/L)	试样处理方法
汞(总汞)	0.1	
铅(总铅)	5	液固比 10∶1, 溶解液为 pH3.2±0.02 的 酸性溶液
砷(总砷)	5	
镉(总镉)	1	
铬(总铬)	15	
六价铬	5	

由于制样均是 10∶1 的液固比,而我国采用 pH 值为 3.2 的强酸作为萃取液,德国标准采用去离子水作为萃取液,所以参照德国标准制定的本标准限量值偏于严格。

现行国家标准《水泥窑协同处置固体废物技术规范》GB 30760—2014 对水泥熟料重金属含量规定见表 5。

表 5 水泥熟料中可浸出重金属含量限值

重金属	限值(mg/L)
砷(As)	0.1
铅(Pb)	0.3
镉(Cd)	0.03
铬(Cr)	0.2
铜(Cu)	1.0
镍(Ni)	0.2

上述标准对应的试验方法最终的液固比为 200∶1,换算为 10∶1 的液固比后,重金属含量限值如表 6 所示。

表6　折算后水泥熟料中可浸出重金属含量限值

重金属	限值（mg/L）
砷（As）	2
铅（Pb）	6
镉（Cd）	0.6
铬（Cr）	4
铜（Cu）	20
镍（Ni）	4

按照本标准表 6.0.2 重金属浸出限量值进行规定总体上是偏于安全的。另外,由于对总铬进行了规定,六价铬含量小于总铬含量,与我国现行国家标准 GB 5085.3 相比仍偏于安全,因此参照德国标准,未对六价铬进行规定。

编制组针对不同固体废物类别和不同掺量的水泥砂浆试件进行了系统的验证试验,所选的固体废物主要有以下几种:

粉煤灰:北京产Ⅱ级粉煤灰,烧失量为 1.1%;

污泥:原状生活污泥和原状电镀污泥共两种,晾干、破碎后通过筛孔公称直径为 5mm 金属方孔筛;

再生骨料:为了模拟建筑垃圾的重金属毒性,对再生细骨料进行了涂刷油漆处理,自然晾干后使用;

脱硫石油焦灰渣:最大公称粒径不大于 5mm 的脱硫石油焦灰渣;

铬渣:通过筛孔公称直径为 5mm 金属方孔筛的原状铬渣颗粒。

制作砂浆试件的水泥、水、减水剂等其他原材料均符合相应的标准要求,验证试验设计了不同种类和不同掺量比例的固体废弃物砂浆配合比,不同系列的砂浆配合比见表 7。用水量均考虑了所掺固体废弃物的含水量,通过掺加减水剂调整砂浆工作性,使其易于成型。

表7 水泥砂浆试件配合比

试件编号	水泥（g）	固体废弃物种类/掺量（g）	河砂（g）	用水量（g）
JZ	450	-/0	1350	225
FA-25％	337.5	粉煤灰/112.5	1350	225
FA-50％	225	粉煤灰/225	1350	225
DW-25％	450	电镀污泥/337.5	1012.5	225
DW-50％	450	电镀污泥/675	675	225
DW-100％	450	电镀污泥/1350	0	225
SW-25％	450	生活污泥/337.5	1012.5	225
SW-50％	450	生活污泥/675	675	225
SW-100％	450	生活污泥/1350	0	225
CR-25％	450	铬渣/337.5	1012.5	225
CR-50％	450	铬渣/675	675	225
CR-100％	450	铬渣/1350	0	225
SZ-25％	450	石油焦渣/337.5	1012.5	225
SZ-50％	450	石油焦渣/675	675	225
SZ-100％	450	石油焦渣/1350	0	225
ZS-25％	450	再生骨料/337.5	1012.5	225
ZS-50％	450	再生骨料675	675	225
ZS-100％	450	再生骨料1350	0	225

注:编号前面字母表示所掺固体废弃物种类;后面百分比为替代粉料或骨料的比
例;标养龄期7d和28d。

按照第4.3节对应的检测方法要求得到的所用固体废弃物原材料的重金属浸出试验结果见表8。

表 8 各种固体废弃物原料的重金属浸出浓度（mg/L）

固废原材料种类	As	Cd	Cr	Cu	Mn	Pb
再生骨料	—	1.25	2.36	1.96	—	6.01
石油焦脱硫灰渣	14.57	0.69	0.42	—	—	—
电镀污泥	28.38	0.97	3.92	7.11	1.34	4.18
生活污泥	22.11	0.88	1.33	—	0.61	—
铬渣	23.93	1.02	168.88	—	—	3.18
粉煤灰	—	0.39	0.21	0.022	0.001	0.11

注:"—"代表未测出。

表 8 的检测结果表明除粉煤灰外,所选固体废物中的部分重金属浸出浓度均超出了本标准对于水泥基再生材料相应指标限值要求,甚至铬渣中的总铬浸出浓度超出限值的 100 倍以上。根据表 7 的固体废弃物原材料重金属浸出浓度试验结果,以有毒重金属种类较多的电镀污泥和毒性较大的铬渣作为代表,对试验结果进行分析。不同养护龄期和不同掺加比例固体废弃物的砂浆试样的重金属浸出浓度试验结果规律基本类似,不同龄期的电镀污泥砂浆试件和铬渣砂浆试件的试验结果如图 1 和图 2 所示。

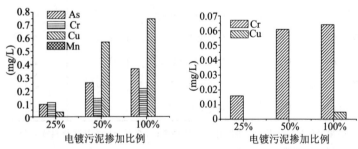

(a) 7d龄期掺入电镀污泥的水泥砂浆试样　(b) 28d龄期掺入电镀污泥的水泥砂浆试

图 1 不同龄期的电镀污泥试样的重金属浸出浓度

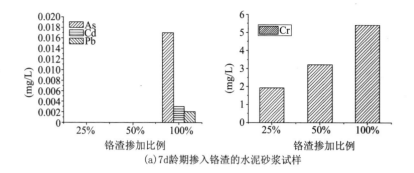

(a)7d龄期掺入铬渣的水泥砂浆试样

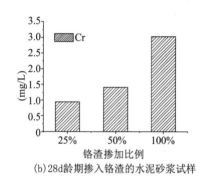

(b)28d龄期掺入铬渣的水泥砂浆试样

图2　不同龄期的铬渣试样的重金属浸出浓度

表8和图1、图2的结果表明,6种重金属指标对于多种废物均有响应,说明所确定的检测方法对于多种废物均可检测,也反映了本标准确定的检测方法对于水泥再生建材的重金属检测具有一定的普遍适用性。同时,随着固体废物掺量比例的提高,重金属浸出浓度表现为增大的趋势;此外,随着养护龄期的延长,相同固体废物种类、相同配合比砂浆试样的重金属浸出浓度呈降低的趋势,规律性也与现有文献研究成果一致。结果也表明标准养护28d龄期的砂浆试件中,除了毒性较大的铬渣掺量50%取代骨料后的水泥基材料接近铬的浸出限值外,生活污泥、电镀污泥、建筑垃圾、粉煤灰等其他利用固体废物的水泥基砂浆的重金属浸出浓度远低于本标准表6.0.2条中的限量值。

需本标准可按如下地址索购：

地址：北京百万庄建设部　中国工程建设标准化协会

邮政编码：100835　　电话：(010)88375610

不得私自翻印。

S/N:1580242·691

统一书号:1580242·691

定价:15.00 元